D1083501

Chigüiro
viaja en chiva

BABEL

Da Coll, Ivar

868CO   Chigüiro viaja en chiva ; Ilustrado
         por Ivar Da Coll. --Bogotá D.C. :
         Babel Libros, c2006.
         32 p. : il.

         ISBN 978-958-97822-0-0

         1.CUENTOS 2.LITERATURA INFANTIL COLOMBIANA
         I.tit. II.Da Coll, Ivar

Primera edición Norma, 1987

ISBN: 978-958-97822-0-0

Babel Libros
Calle 39 A 20-55, La Soledad
Bogotá D.C., Colombia
Teléfono 2458495
editorial@babellibros.com.co
www.babellibros.com.co

Edición: María Osorio

Escáner sandraospina.com
Impreso en Colombia por D'Vinni S.A.
Bogotá, junio de 2011

Visita la página de Ivar: www.ivardacoll.com

Chigüiro
viaja en chiva

Historia e ilustraciones
Ivar Da Coll

BABEL LIBROS

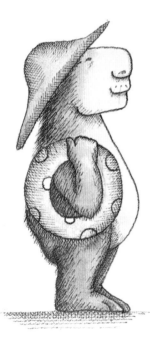

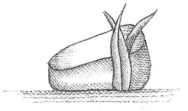

Chigüiro. . . .

EN ALGUNAS REGIONES de Panamá, Brasil y Argentina, pero principalmente en Colombia y Venezuela, en la zona de los llanos, vive este simpático animal que también recibe el nombre de chigüire, ponche, tinajo, lancho, yulo, carpincho o capybara que quiere decir "maestro de los pastos" en lenguaje guaraní.

Es un mamífero, y el roedor más grande que existe. Camina en cuatro patas y a veces se sienta sobre sus patas traseras para limpiarse la cara con las extremidades delanteras y tomar su alimento.

Vive en manada, siempre está cerca del agua, en bosques húmedos a lo largo de ríos, lagunas y pantanos que se forman cuando ha llovido. Busca estar al descubierto para sentir cerca el cielo abierto.

Su pelo es de color habano amarillento o canela totalmente uniforme, aunque también hay chigüiros negros. La cabeza es grande, rectangular, el hocico es cuadrado, tiene fuertes y afilados dientes, las orejas son pequeñas así como los ojos que por lo general son de color amarillo o rojo. La cola no es visible. En las patas delanteras tiene cuatro dedos y en las traseras tiene tres, y tiene una membrana entre todos los dedos que le permite nadar muy bien. Los jóvenes son similares a los adultos pero con mucho más pelo.

El chigüiro es un animalito bastante nervioso, completamente inofensivo. Cuando se asusta se zambulle en el agua y nada bajo la superficie para escapar.

Está en peligro de extinción en varias regiones, por la caza para el consumo de su carne, la cual es muy apetecida, y por la destrucción de su hábitat.

Cuando el chigüiro está tranquilo, en un lugar donde se siente a gusto, hace todas sus tareas con gran lentitud, aunque la mayor parte del tiempo prefiere reposar. Le gusta comer algas, que encuentra en el fondo de las charcas, o pastos y yerbas de la superficie. Aunque un pedazo de yuca o de banano le producen mucho placer.

Ivar Da Coll................

Nació en Bogotá, Colombia, en 1962. Desde hace más de 20 años se dedica a escribir e ilustrar para niños. A los doce años se vinculó a un grupo de teatro de títeres en el cual interpretó diversos personajes; de allí surgió su gusto por los libros infantiles, los cuales le parecen muy similares al teatro de muñecos. En 1983 comenzó a trabajar con distintas editoriales como ilustrador de libros de texto. En 1985 nace la serie de libros de imágenes *Chigüiro*, con la cual hizo su incursión definitiva en la creación de historias dedicadas a los niños.

Ha representado a Colombia en tres ocasiones como autor en la Lista de Honor de IBBY con sus libros *Tengo miedo, Hamamelis, Miosotis y el señor Sorpresa* y *Pies para la princesa*. También, elegido por la sección colombiana de IBBY, fue candidato al Premio Hans Christian Andersen 2000. En 2008 fue finalista del Premio Iberoamericano SM. Varios de sus libros han sido publicados por importantes casas editoriales de Venezuela, México, España y Estados Unidos.

A los adultos:

Es conveniente que los niños tengan la oportunidad de estar en contacto con el libro y la lectura aún antes de que sepan leer y escribir.

Los libros de imágenes desempeñan un papel fundamental en la relación que los niños establecen con la lectura desde la más temprana edad, pues se dirigen directamente a su sensibilidad y marcan profundamente su futura vida afectiva e intelectual.

Contar una historia no es un privilegio del lenguaje oral o escrito. Las imágenes también tienen su manera de hablar, y narran historias que el niño está en capacidad de descifrar.

En la colección *Chigüiro*, el personaje principal vive una serie de situaciones que combinan el humor, la ternura, la solidaridad y la amistad. Los niños compartirán con Chigüiro estos sentimientos, y aprenderán a amar y a identificarse con un personaje latinoamericano que en este caso los representa.

Así mismo, a partir de las historias que aquí se narran, los pequeños podrán interpretar y recrear las suyas, desarrollando de esta manera su creatividad e imaginación.

Silvia Castrillón

2 0 1 1